Martine Bourre

GROS LION

Didier Jeunesse

Voilà le

GROS
LION.

Il est

FÉROCE

quand il a faim.

Il **RUGIT**

et tout le monde a très peur.

Il **MARCHE** dans la grande plaine...

Le **GROS LION**
entend du bruit :

vite, il SE CACHE !

Il voit une GAZELLE.

À L'ATTAQUE !

Mais la GAZELLE
ne se laisse pas faire.

– Les bébés, venez goûter !

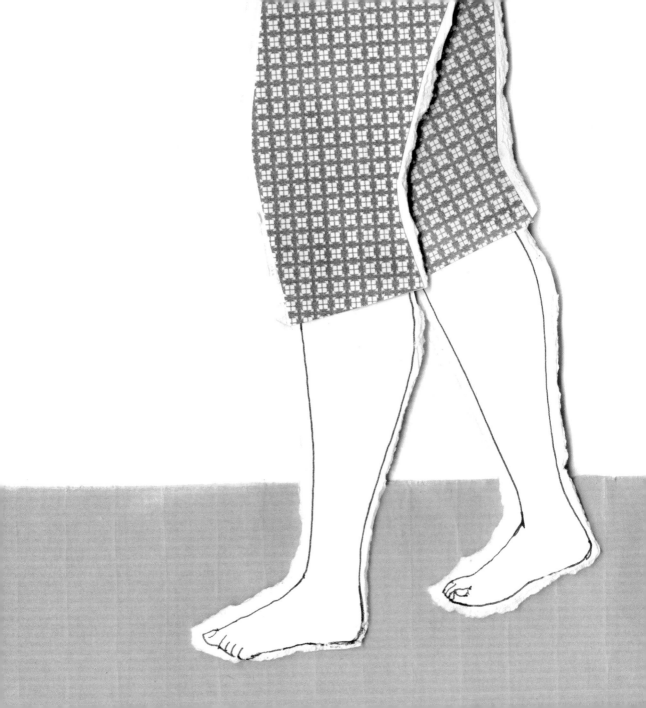

Je vous ai préparé
des gâteaux...

... avec du miel pour les **GAZELLES**

et du potiron pour les **GROS LIONS**.

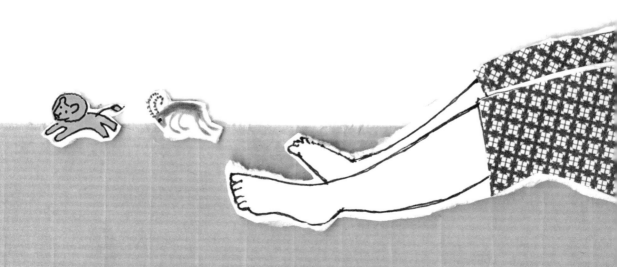

Dans la même série :
Petit Ouistiti

© Didier Jeunesse, Paris, 2015
8, rue d'Assas, 75006 Paris
www.didierjeunesse.com

Conception et réalisation graphiques : Marie van de Walle
Photogravure : IGS-CP (16)
ISBN : 978-2-278-07802-8 – Dépôt légal : 7802/01
Loi n° 49-956 du 16 juillet 1949 sur les publications destinées à la jeunesse

Achevé d'imprimer en France en décembre 2014 chez Pollina - L70654,
imprimeur labellisé Imprim'Vert, sur papier composé de fibres naturelles renouvelables,
recyclables, fabriquées à partir de bois issus de forêts gérées durablement.